Llyfr Cofnod

AR ENI EICH PLENTYN

Bethan James

Darluniwyd gan Paola Bertolini Grudina

Dathlwch wyrth eich baban newydd.
Cofnodwch yr adegau arbennig
a chadwch y llyfr hwn fel atgof parhaol
o ddyddiau cynnar eich plentyn.

Yn y Dechrau

Rwyt ti wedi edrych yn ddwfn i fy nghalon i,
ac yn gwybod popeth amdana i.
Rwyt ti'n sylwi ar bopeth rydw i'n ei wneud;
mae dy law arna i i'm hamddiffyn.
Ti greodd fy meddwl a'm teimladau;
a'm plethu i yng nghroth fy mam.
Roeddet ti'n gweld fy ffrâm i
pan oeddwn i'n cael fy siapio yn y dirgel,
ac yn cael fy ngweu at ei gilydd yn nyfnder y ddaear.
Roeddet ti'n fy ngweld i cyn bod siâp arna i!
Roedd hyd fy mywyd wedi ei drefnu —
pob diwrnod wedi ei gofnodi yn dy lyfr,
a hynny cyn i un fynd heibio!
Canmolaf di oherwydd
y ffordd ryfeddol y creaist fi.
Arwain fi yn ffyrdd gwirionedd,
Arglwydd,
a thywys fi ar y llwybr
i fywyd tragwyddol.
Yn seiliedig ar Salm 139

Awgrymiadau o enwau

_____

_____

_____

Dyddiad sgan

_____

Llun sgan

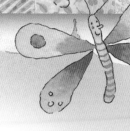

Baban Newydd

Dyma fy enw

Dyma fy nyddiad geni

Dyma faint o'r gloch y ganed fi

Dyma lle ganed fi

Roeddwn yn pwyso cymaint â hyn

Dyma liw fy ngwallt

Dyma liw fy llygaid

Gwobr gan yr Arglwydd ydy ffrwyth y groth.

Salm 127:3

Dduw Dad, gwneuthurwr popeth sy'n dda,
mae'r baban newydd hwn yn ein llenwi ag ofn a rhyfeddod.
Diolch i ti am roi i ni'r bywyd newydd gwerthfawr hwn
i'w amddiffyn a'i feithrin.
Helpa ni trwy'r amseroedd hapus a'r adegau anodd sydd o'n blaenau
i garu a gofalu am ein baban newydd,
y rhodd arbennig a gawsom gennyt ti.

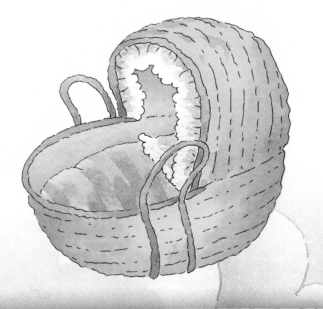

Fy Ymwelwyr Cyntaf

Diolch i ti, Dduw Dad,
fod y baban newydd hwn wedi cyrraedd yn ddiogel,
am wyrth bywyd newydd,
am ryfeddod creadigaeth newydd,
ac am ddirgelwch cariad dynol.
Diolch i ti dy fod yn gwybod ein henwau
a'th fod yn ein caru ers y dechrau cyntaf un.
Bydd yn agos atom wrth i ni ddysgu am orfoledd a her bod yn rhieni,
a helpa ni i ymddiried ynot i ddiwallu ein holl anghenion.

Y bobl a ddaeth i'm gweld

7

Fy Nheulu

Enw

Dyddiad geni a lle ganed

Enw

Dyddiad geni a lle ganed

Enw

Dyddiad geni a lle ganed

Enw

Dyddiad geni a lle ganed

Enw

Dyddiad geni a lle ganed

Diolch i ti, Arglwydd, am frodyr a chwiorydd,
modrybedd ac ewythrod, cefndryd a chyfnitherod.
Diolch i ti am y rhodd o deulu.
Diolch i ti dy fod yma gyda ni,
a'th gariad yn ein hamgylchynu,
a diolch dy fod wedi rhoi'r naill a'r llall i ni ofalu amdanynt,
i ddysgu ganddynt ac i rannu gyda hwy, ddydd ar ôl dydd.

9

Enw fy Hen Daid

....

Dyddiad geni a lle ganed

....

....

Enw fy Hen Nain

....

Dyddiad geni a lle ganed

....

....

....

Enw fy Nhaid

....

Dyddiad geni a lle ganed

....

....

....

Teulu fy Nhad

10

Enw fy Hen Nain

....

Dyddiad geni a lle ganed

....

....

....

Enw fy Hen Daid

....

Dyddiad geni a lle ganed

....

....

....

Enw fy Nain

....

Dyddiad geni a lle ganed

....

....

....

Enw fy Nhad

....

Dyddiad geni a lle ganed

....

....

....

11

Enw fy Hen Daid

....

Dyddiad geni a lle ganed

....

....

....

Enw fy Hen Nain

....

Dyddiad geni a lle ganed

....

....

....

Enw fy Nhaid

....

Dyddiad geni a lle ganed

....

....

....

Teulu fy Mam

Enw fy Hen Nain

....

Dyddiad geni a lle ganed

....

....

....

Enw fy Hen Daid

....

Dyddiad geni a lle ganed

....

....

....

Enw fy Nain

....

Dyddiad geni a lle ganed

....

....

....

Enw fy Mam

....

Dyddiad geni a lle ganed

....

....

....

13

Fy Nhaid a'm Nain

Dduw Dad,
diolch i ti am roi i ni deuluoedd i ofalu amdanom.
Diolch i ti am y rhai sydd wedi bod yn bryderus
fel y buom ninnau'n bryderus;
am y rhai sydd wedi bod yn gryf pan fydd problemau'n codi.
Diolch i ti am eu doethineb a'u dewrder a'u nerth.
Helpa ni i ddysgu gan y rhai sydd wedi mynd o'n blaenau
a'u caru fel y maen nhw'n ein caru ni.

Dymuniadau fy nheidiau a'm neiniau ar fy nghyfer

_____

_____

_____

Pethau mae fy nheidiau a'm neiniau eisiau i mi wybod amdanynt

_____

_____

_____

_____

Fy Nghartref

Cyfeiriad fy nghartref

_____

_____

_____

Arglwydd Iesu, rhannaist yn Nasareth fywyd mewn cartref daearol.

Bendithia ein cartref ni yn awr â heddwch a llawenydd.

Rho i rieni nerth a doethineb

bob diwrnod o'r newydd,

cariad ac amynedd i wynebu pob dydd,

a gorffwys heddychlon wrth i'r sêr oleuo awyr y nos.

Arglwydd Dduw,
Fe greaist y byd ac roedd yn dda iawn.
Arglwydd Dduw,
Rhoddaist gartref i mi,
lle gallaf fod yn ddiogel rhag niwed.
Arglwydd Dduw,
Rhoddaist i mi bobl i'm caru ac i ofalu amdanaf.
Diolch i ti am yr holl bethau da a roddaist i mi.

Dyma sut ystafell sydd gennyf

Fy Nghynnydd

Dyddiad fy ngwên gyntaf

_____

Dyddiad fy nant cyntaf

_____

Cysgais trwy'r nos am y tro cyntaf ar

_____

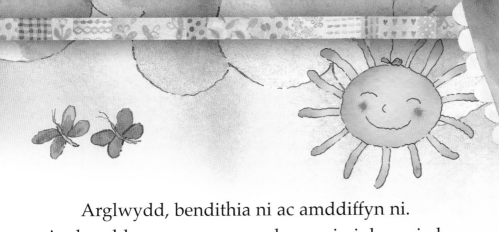

Arglwydd, bendithia ni ac amddiffyn ni.
Arglwydd, gwena arnom a dangos i ni dy gariad.
Arglwydd, gofala amdanom a helpa ni.

19

Fy Mhethau Arbennig

Fy anifeiliaid anwes

Fy ffrindiau gorau

Fy hoff deganau

Fy hoff stori

Fy hoff gêm

Fy hoff sŵn

Fy hoff liw

Fy hoff fwydydd

Fy hoff ddiodydd

Pethau yr wyf yn hoffi eu gwneud

Dduw Annwyl,
Diolch i ti am fy ffrindiau.
Diolch i ti am fy nheganau a'r pethau sy'n arbennig i mi.
Dysga fi os gweli di'n dda i rannu'r cyfan sydd gennyf ag eraill.
Amen

Diolch i ti am y byd,
Diolch am ein bwyd o hyd,
Diolch am yr adar mân,
Diolch, Arglwydd, yw ein cân.

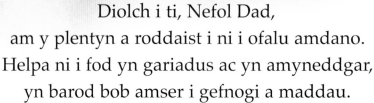

Amseroedd Arbennig

Diolch i ti, Nefol Dad,
am y plentyn a roddaist i ni i ofalu amdano.
Helpa ni i fod yn gariadus ac yn amyneddgar,
yn barod bob amser i gefnogi a maddau.
Arwain ni ym mhopeth a wnawn fel y bo'n cariad ni yn dangos dy gariad di,
a boed i'r fendith a roddir heddiw fod gyda'r plentyn bob dydd,
yn ei gadw'n ddiogel rhag niwed
ac yn ei helpu i dyfu i weld gwerth
dy garu a'th wasanaethu di.

Dyddiad bedyddio _____ *Oedran pan fedyddiwyd* _____

Lle bedyddiwyd _____

Enwau rhieni bedydd neu noddwyr _____

_____

_____

Pwy oedd yn bresennol _____

_____

Treuliais fy Nadolig cyntaf yn

Rhannais fy Nadolig cyntaf gyda

Ar fy Nadolig cyntaf bwyteais

Yr eglwys y bûm ynddi ar fy Nadolig cyntaf oedd

Treuliais fy Mhasg cyntaf yn

Rhannais fy Mhasg cyntaf gyda

Ar fy Mhasg cyntaf bwyteais

Yr eglwys y bûm ynddi ar fy Mhasg cyntaf oedd

Dyma lle treuliais fy ngwyliau cyntaf

Llefydd arbennig a welais ac yr ymwelais â hwy

Y bobl y rhannais fy ngwyliau cyntaf gyda hwy

Y pethau a wnes ar fy ngwyliau cyntaf

Cyhoeddwyd gan

Cyhoeddiadau'r Gair © 2016

Ael y Bryn, Chwilog, Pwllheli, Gwynedd, LL53 6SH

www.ysgolsul.com

Testun Cymraeg: Mair Jones Parry

Cedwir pob hawl

Cyhoeddwyd yn wreiddiol dan y teitl

My Christening Record Book

© 2015 Anno Domini Publishing

www.ad-publishing.com

Testun © Bethan James

Lluniau © Paola Bertolini Grudina

Argraffwyd yn Malaysia